Julie Morstad
Hoy

LATA
de
SAL

¡Hora de levantarse!

Para Sara G.

Y un agradecimiento especial a Kallie George y Heather Lohnes.

Título original: *Today*
Publicado por primera vez en Canadá
© Simply Read Books Inc. 2017
del texto y las ilustraciones © Julie Morstad 2017

© de esta edición: Lata de Sal, 2019

www.latadesal.com
info@latadesal.com

© de la traducción: Mariola Cortés-Cros
© del diseño de la colección y la maquetación: Aresográfico
ISBN: 978-84-949182-4-7
Depósito legal: M-1065-2019
Impreso en España

Afortunadamente, hoy sale el sol.

Julie Morstad

HOY

TRADUCIDO POR MARIOLA CORTÉS-CROS

LATAdeSAL
Afortunada

¿Qué hago hoy?
¿A dónde voy?
¿Me quedo cerca de casa
o me voy de paseo?
Pero, antes que nada...
¿Qué me pongo?

¿Tú qué te pondrías?

gorro con pompón

traje alpino

kimono

diadema de flores

parche de pirata

zapatos deportivos

sombrero de playa

abrigo de invierno

pijama a rayas

lazo de satén verde

ropa interior rosa

ropa interior lila

máscara ninja

casco vikingo

bailarinas

vestido de fiesta

suéter que pica

calcetines calentitos

botas de agua

falda hawaiana

vaqueros

otro vestido de fiesta

vestido informal

peto

traje
de baño

corona

sombrero
de paja

pijama
marinero

tutú

guantes
elegantes

manoplas

alas de
mariposa

medias de colores

camiseta
sin mangas

capa

camiseta a rayas

camisa a
cuadros

sombrero de apicultor

¿Y cómo te gustaría peinarte?

unitrenza

trenzas de
princesa

flequillo
despuntado

despeinado

repeinado

cresta

sin nudos

moño alto

coletas

súper rizado

corto

¿debería ir
a la peluquería?

trenza rosca

coleta alta

cola de
caballo

rastas

a lo loco

con volumen

flequillo corto

con una cinta

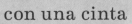

dos moñitos

Genial. ¡Estamos listos!

¿A que no sabes a dónde vamos?

¡Uy! Casi nos
olvidamos
de desayunar.

uvas

huevo
pasado
por agua

huevos
fritos

manzana

jugo de
frutas

avena

té verde

plátanos

¿Te gustan
las tostadas con
mermelada?

arroz con
frijoles

yogur

tortitas

pizza

tostada

batido

naranja

pomelo

frutos rojos

leche

Y a TI,
¿qué te gusta comer?

Entonces,
¿A dónde te gustaría
ir hoy?

a tu propio jardín

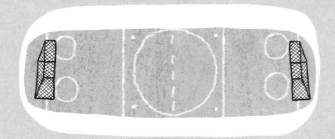

a la cancha de hockey

a dar un paseo
por el bosque

al museo

a tomar un helado

de pícnic

a nadar

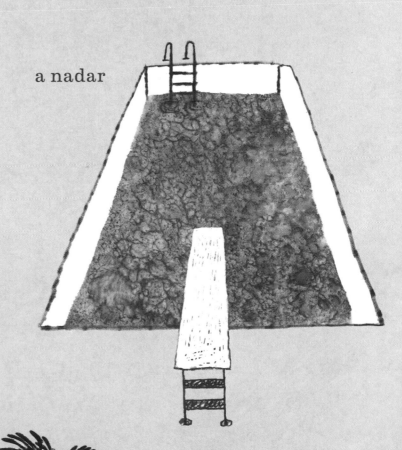

al *skatepark*

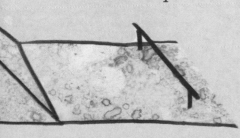

o quizás, irte a solas
a una isla diminuta

Hay muchísimas maneras de llegar.

en autobús

en camello

en bicicleta

en automóvil

patinando

sentado en cochecito

en bote

¿TÚ cómo irías?

en fila

corriendo

a caballito

con tu mejor
amigo

en carretilla

remando

bailando

volando

¿Prefieres estar
en medio de una
ciudad bulliciosa
y ajetreada...

... mirando la cosa más bonita que viste en tu vida?

¿O quizás
prefieres
estar
en un lugar tranquilo,
en silencio,
hablando con los peces?

¿Y qué te parecería
perderte entre las flores
y detenerte
a recoger algunas?

campanilla

violeta

ranúnculo

equinácea

amapola

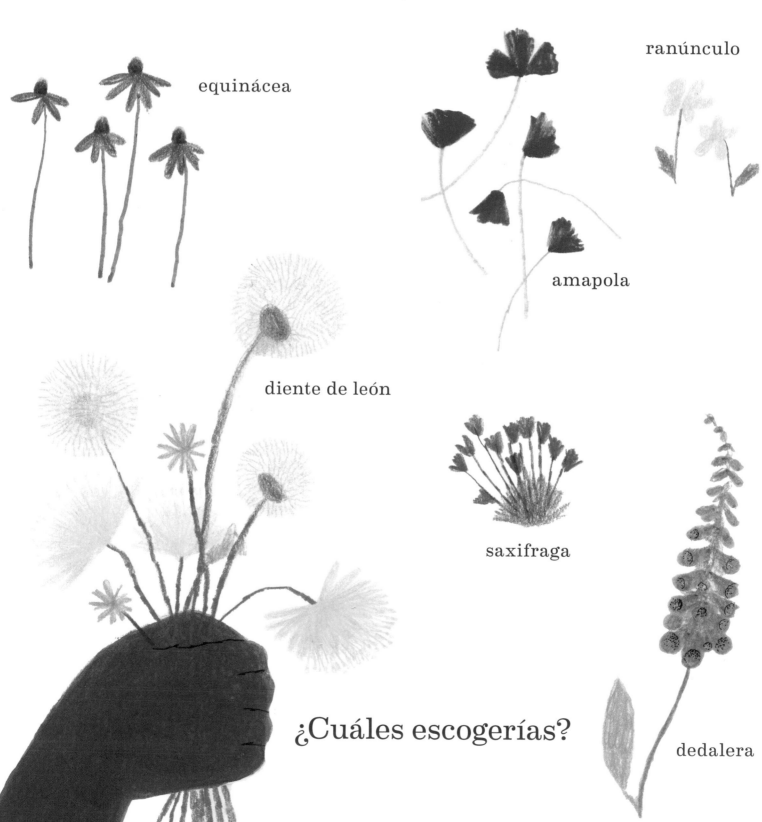

diente de león

saxifraga

¿Cuáles escogerías?

dedalera

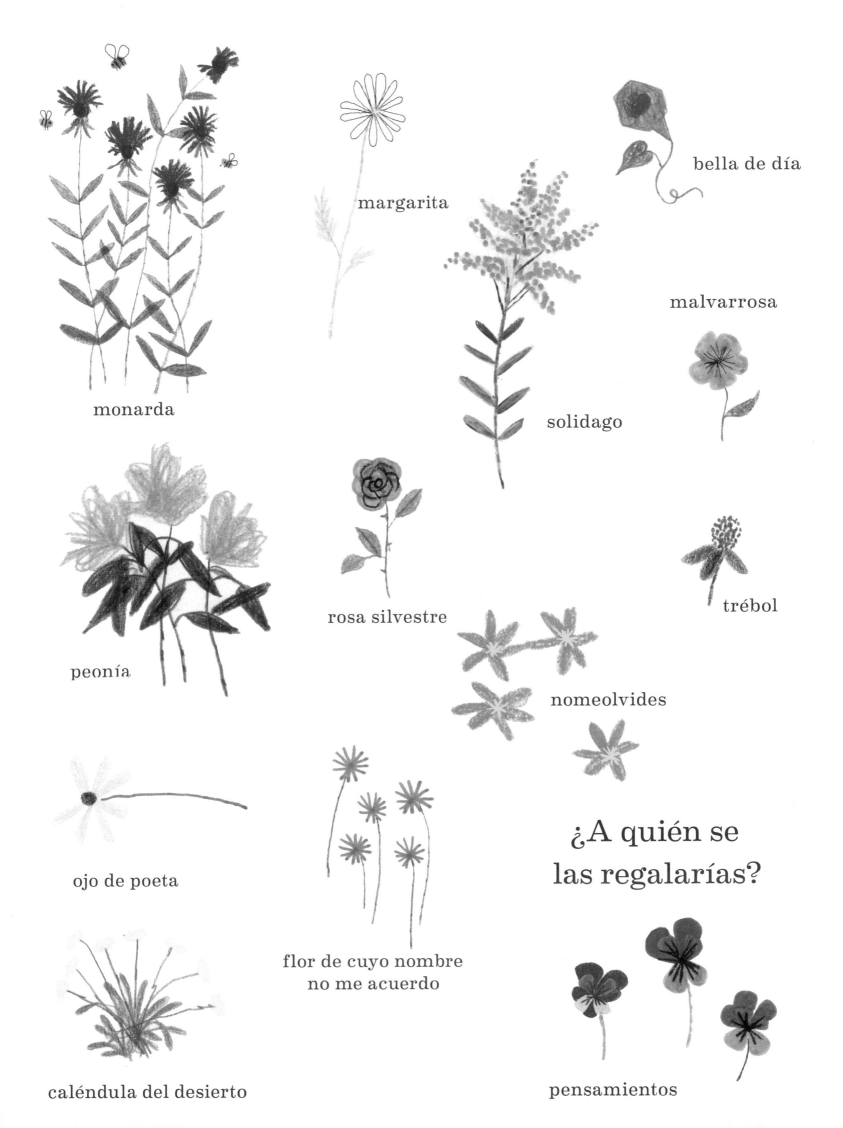

monarda

margarita

bella de día

malvarrosa

solidago

peonía

rosa silvestre

trébol

nomeolvides

ojo de poeta

¿A quién se
las regalarías?

flor de cuyo nombre
no me acuerdo

caléndula del desierto

pensamientos

Si sale el sol, nos vamos a jugar
con el aspersor de agua...

... y dejamos que el sol
seque la ropa tendida.

Luego, por supuesto, ¡nos toca
tomar algo helado y dulce!

¿Cuál quieres?

helado espacial

helado fantasmín y gatohielo

helado de chocolate

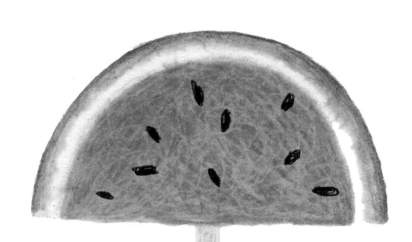

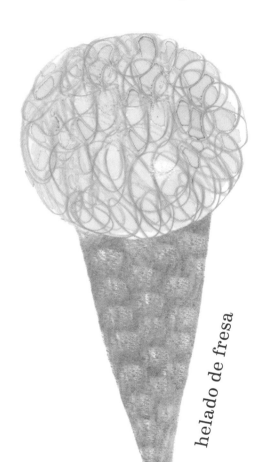

helado de fresa

¿sandía en palo?

¿por qué no?

¿De qué
sabores crees
que son?

sándwich de helado

helado artesanal
con grageas de colores

menta y chocolate

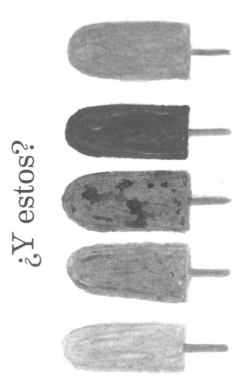

¿Y estos?

de chicle azul

de tres bolas
enorme

¿Qué hacemos hoy si llueve?

dibujamos algo

dibujamos otra cosa

vestimos a las muñecas y muñecos

jugamos a las canicas

celebramos la fiesta del té

construimos un qué sé yo

leemos
un libro
genial

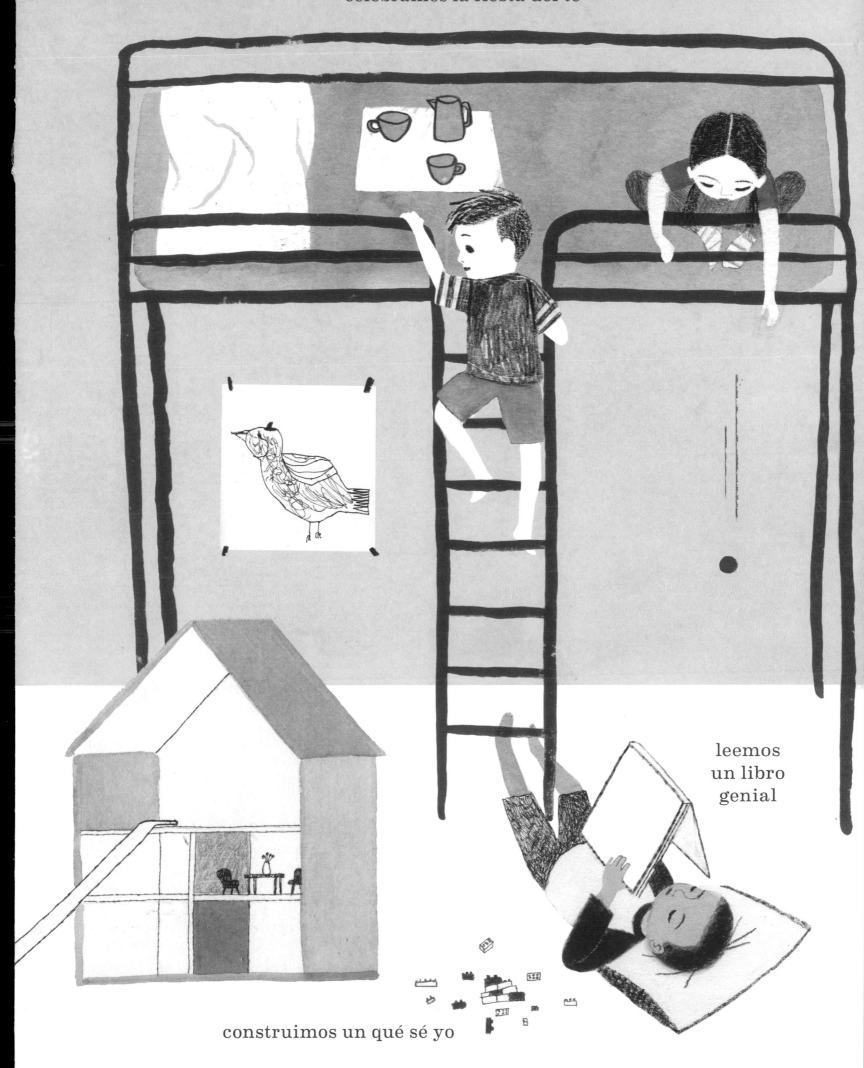

Estas son algunas de las cosas que tengo en mi cuarto. ¿Tú también tienes algunas?

las mejores ramas

cuerda de la suerte violeta

un puñado de mis tapas de botella favoritas

algunos frutos secos

bastón de caramelo de la Navidad pasada

mmm, ¿qué construyo?

¡Aquí están las fichas de dominó que no encontraba!

ratoncito de juguete feliz

el mejor lápiz de color azul verdoso (o verde azulado)

mis muñecas de madera

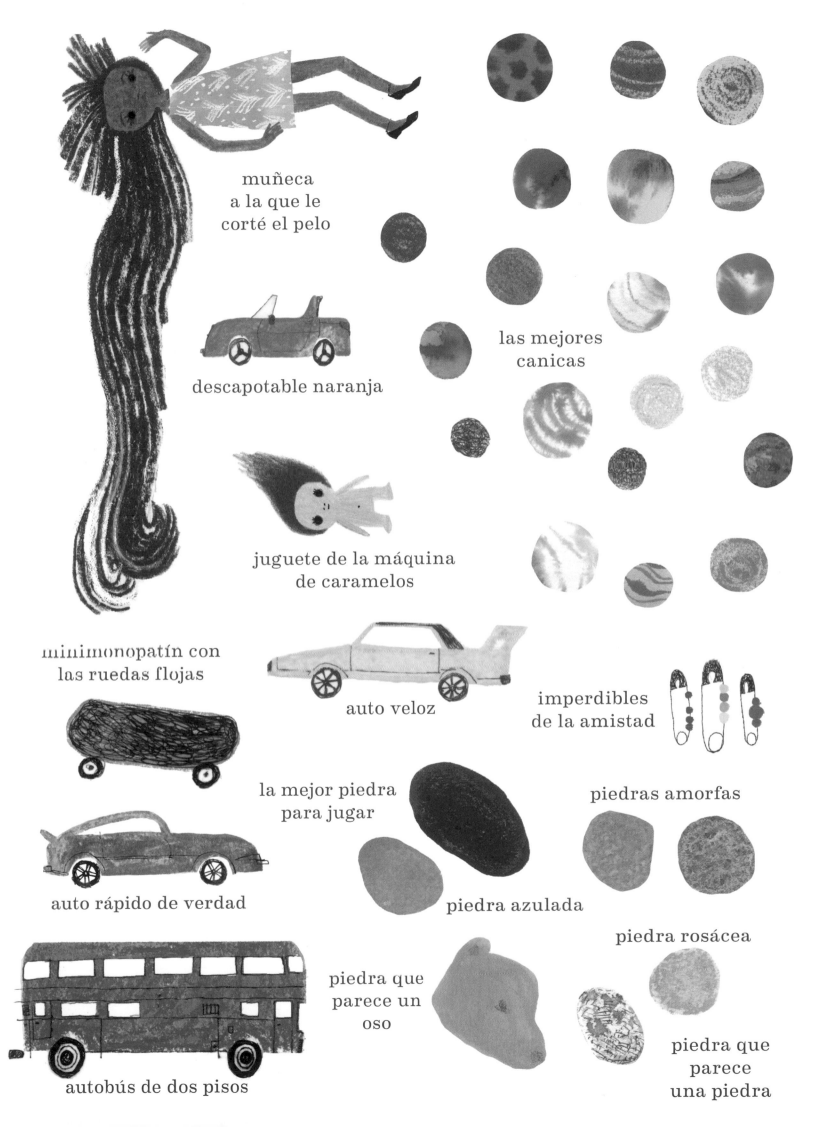

muñeca
a la que le
corté el pelo

descapotable naranja

las mejores
canicas

juguete de la máquina
de caramelos

minimonopatín con
las ruedas flojas

auto veloz

imperdibles
de la amistad

la mejor piedra
para jugar

piedras amorfas

auto rápido de verdad

piedra azulada

piedra rosácea

piedra que
parece un
oso

autobús de dos pisos

piedra que
parece
una piedra

¿Qué más se puede hacer dentro de casa?

escondernos en una cueva

formar un grupo

escuchar nuestra
canción favorita

jugar a ver

quién aguanta más la mirada

casar a dos
juguetes

ser Rapunzel

pensar en nada
o en algo

A lo mejor, me pongo a leer
mi libro favorito.
¿A que no sabes de qué trata?

¡Lo adivinaste!

ballena azul

jirafa

zorro del desierto

¿Cuál es
TU favorito?

serpiente
de coral

gato

león

gorila

pez azul diminuto

guepardo

liebre

flamenco

armadillo

tortuga marina

¿Preparado para el baño?
Viene bien invitar a un amigo.
¿Quieres burbujas?

¿Qué pijama eliges?

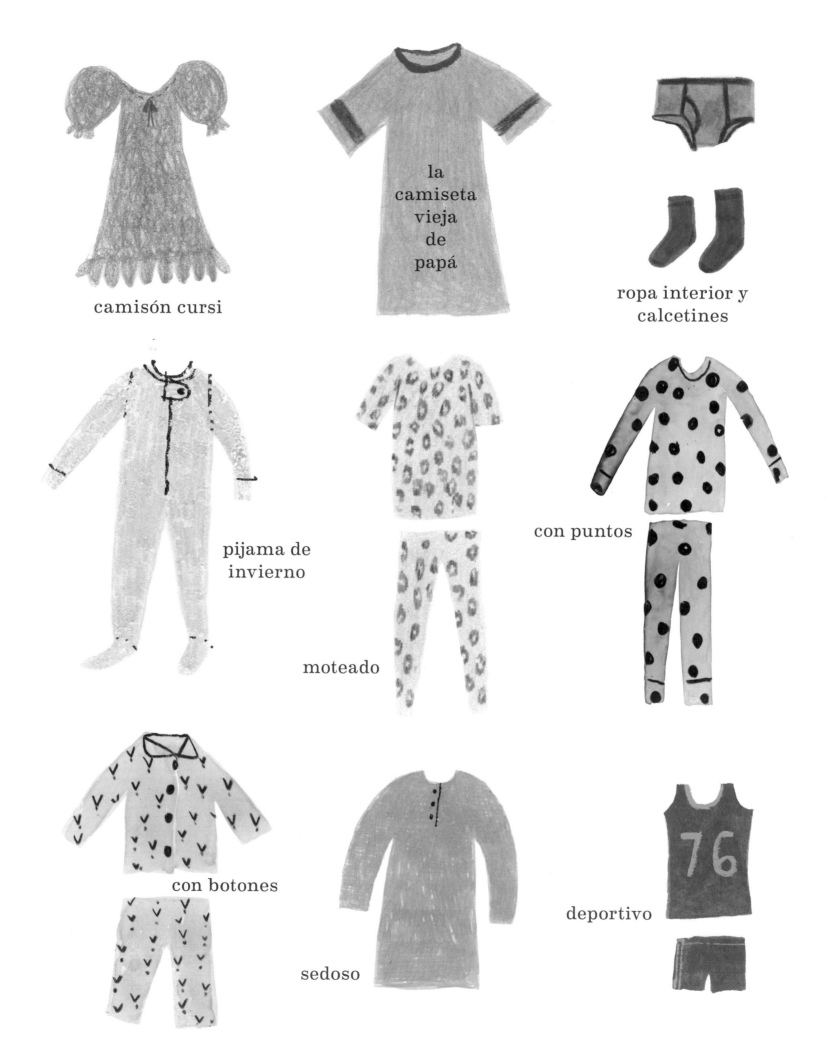

camisón cursi

la camiseta vieja de papá

ropa interior y calcetines

pijama de invierno

moteado

con puntos

con botones

sedoso

deportivo

elige y combina

gorro de
dormir

de peluche

multicolor

con una nube

pantuflas de conejo

¿Y si duermes
sin pijama?

¿Qué nos falta antes de irnos a dormir?

¿Otro libro?

¡No olvides cepillarte los dientes!

¿Llamar
a la abuela?

¿Puedo beber un poco de agua?

Bueno, hoy hicimos
prácticamente de todo,

pero...